없는 세상

없는 세상

발 행 | 2024년 08월 09일
저 자 | 이현성
펴낸이 | 한건희
펴낸곳 | 주식회사 부크크
출판사등록 | 2014.07.15(제2014-16호)
주 소 | 서울특별시 금천구 가산디지털1로 119 SK트윈타워 A동 305호
전 화 | 1670-8316
이메일 | info@bookk.co.kr

ISBN | 979-11-419-0028-1

www.bookk.co.kr

없는 세상

이현성 지음

차례

구하

그녀와의 여름은 단조로웠다

정오에는 더웠고, 오후에는 비가 왔다

더우면 안에 있었고, 비가 오면 저녁을 먹으러 나갔다

단조로움이 마지막 인사와도 같았다

너와의 영화로운 나날이 나의 비곤함을 빈정거렸다

여생이 송두리째 여름 같았으면 했다

외

수도에 눈이 내린다는 말을 들었을 때 나는 그 사람과 다른 세상에 살고 있는 것이 아닌가 하는 착각을 느꼈다. 인도에서 여자가 발이 아픈지 팔을 휘적거리면서 걸었다. 이곳은 눈이 내리지 않는다.

돌아오지 않겠다. 너는 그렇게 말하였다. 강물에 몸을 맡기고 물살에 떠밀려가듯이 너는 그렇게 혼자서 먼 길을 떠났다. 그동안의 전화는 없었다. 정말로 혼자임을 즐기는 사람은 자신과 같은 이를 만나고 싶지 않다는 말을 너는 지켰다. 만나서 즐겁다는 것은 결국 내심 다른 이와의 시간을 보내고 싶었다는 뜻이라고 했던가. 내가 아는 한 너는 홀로 살

수 있을 것 같은 사람이다.

네가 그러했고 너의 말이 그러했고 나 또한 그러했듯 강렬한 자극 속에서 살았다. 요즘은 그렇지 못하다. 천천히, 그리고 오롯이 차오르는 만족감을 즐기는 것. 그러한 일이 거부감이 들지 않는 것. 어떤 일을 즐기는 것은 그것을 좋아하는 게 아니라 거부감이 들지 않는 것이다. 그런 것 같다. 너 또한 이미 깨달았을 것이다. 너는 지금 무엇을 하고 있는가. 아마 길거리 벤치에 앉아서 뜨거운 커피를 마시고 있지 않을까. 그건 어떤 즐거움인가.

누군가를 만난다는 것은 헤어짐을 향해 닳고 닳아지는 것이다. 비단 남녀의 문제뿐만 아니라, 관계는 그러한 원리로 작동된다. 너는 닳는 일에 잠깐 지쳤던 모양이다. 줄어드는 일이 나쁜 것은 아닐 테지만, 아직은 내 말이 너로서는 이해하기 어려울 것 같아서 조금 더 기다린다. 닳지 않으면 날카로워서 다가가기 쉽지 않다.

연락 없는 너는 가끔씩 내 기억 속에서 울려 퍼진다. 오늘 밤 내가 사는 곳에선 눈이 아닌 별이 나린다. 다른 세상에서 너는 혼자 사랑을 하고 있는지 모르겠다. 그곳으로 나도 떠나야 할까. 나는 좀처럼 판단할 수 없다. 판단하기 쉽지 않은 일이다.

반추

자꾸만 뒤를 돌아보았다.

지나온 길에 무엇인가가 가슴에 얹혀서 그리워지는 것. 무엇이 그리운지 설명할 수 있는 단어는 이곳에 없다. 나라고 하기엔 작고 당신이라 하기엔 여럿이다.

그 시간들은 가끔씩 내 발목을 잡아끌었다. 앞으로 가지 말고 여기서 머무르라고, 돌아갈 수 있다고 속삭였다. 그럴 수 없다는 것을 안다.

그럼에도 그때의 내가 지금의 나로 하여금 추억하는 것을 반복시킨다. 어쩔 수 없는 일이다.

그 과정에서 돌연 나의 부끄러움들이 치솟아 오를 때 나는 그럴 수밖에 없었다고 나 자신을 위로했다. 별 의미 있진 않을 것이다.

그렇게 힘들다가 종내에는 돌아와서 나를 살아야 한다. 마침내 나아가다 한 번씩 뒤도는 것이 생이겠다. 붙잡을 수 없는 것을 사모하는, 가엾고 쓸쓸한 너와 나.

역설

당신이 그립지만 보고 싶지 않다. 당신을 떠나온 지 조금 되었다. 그동안 나는 하던 일을 그대로 하며 살았고 음악을 즐겨 듣고 밤을 지새우는 날이 늘었다.

당신과 함께 했으면 하는 바람이 아니다. 나는 당신이 가지고 있던 상징성이 필요한 것이다. 내가 편안할 수 있던 그 자리의 인간적 매개체가 간절한 것이다. 때문에 당신이 절실하지는 않다.

그러나 그 공간에 다른 사람이 오는 것은 의미가 없다. 당신을 원하지 않지만 당신이 아니면 이해하기 어렵다. 그곳은 누군가 대신할 수 있지 못하다. 적어도 내가 받아들이기에는 그렇다. 그 사실에 진저리가 난다. 당신을 지워내고 있자면 도리어 내가 쓸려나간다. 당신을 다시 사랑할 수는 없다. 이 불가함은 타당하다. 당신을 다시 본다면 나는 무너져 내릴 것이다. 당신은 보는 것만으로도 상처이다.

나의 마음을 설명할 수 있는 말이 나에게는 없다. 그래서 당신이 그립지만 보고 싶지는 않다. 다만 그렇다.

반가사유

나에게 떠남은 실재의 소멸이다
그러나 그는 그의 삶으로
자신을 버텨낼 터이니 이는 적확하지 않다
잔재의 소멸일지도 모르겠다
그가 나에게서 떠났다는 것은
더 이상 내가 결부되지 않음이다
나의 떠남은 몸을 의미하지 않는다
가슴속 뒷방에서 명멸하던 정서조차
남아있지 않음을 의미한다
돌아보아 그의 기별에도 전변무상하지 않을 때,

나의 사유가 흔들리지 않음을 알 때,

그때가 되면

나는 떠남을 온전히 떠나보내었다는 것을 안다

이제야 그가 떠나갔음에,

나의 해방은 남은 생을 조금씩 이어 붙인다

위태로웠던 나의 삶을 다시금 짜 맞추는 것이다

서로

정말로 너를 내가 모르는구나. 너는 그러할 줄 알았으나 나의 바람과는 사뭇 다를 때. 그럴 때면 너는 갑자기 나에게서 하나의 점이 되어 저 멀리에 자리하곤 했다.

그래서 안다는 단어는 참으로 섣부른 말인 것이다. 너와 내가 다른 몸이어서, 벌어짐을 파묻지 못 하고 산다. 그 얼마간의 틈이 우리에게는 적잖게 멀다.

당신, 알기 어려운 사람이다.

너와 나의 거리가 그런 것이어서 우리는 서로가 버려져 있었던 모양이다.

침염

비가 온다. 쏟아지는 비에 당신 생각이 난 것은 비처럼 당신이 밀려와서인가. 우산 하나로 막기에는 턱없이 부족하다. 빗물이 내려서 젖는다. 어깨, 손등, 발목. 곳곳에 비로 얼룩진 내 모습은, 어쩌면 당신으로 젖은 나의 모습이겠다.

잘 지냈나요, 당신. 알지 못하는 그대가 당신이 된 것은 늦은 저녁 나를 스치고 간 귀하의 향기 때문이겠지요. 향에 이끌려 당신에게 말을 건넸던 그날, 당황하던 얼굴이 서서히 부드러운 미소로 바뀌어가던 그 표정을 나는 기억해요. 내가 당신에게 기울어진 이유는 이름 모를 향수 냄새 때문만은 아닐 테지요. 조심스럽게 이름을 묻던 목소리. 마주 보지 못하고 떨리는 눈동자. 애꿎은 머리카락만 만지던 손가락. 그것들 또한 담겨있겠습니다.

비가 와서 당신이 떠올랐어요. 이런저런 생각에 잠기다 보면 어느샌가 당신을 그리네요. 흠뻑 잠겨버리는 것이 아닌, 천천히 알 수 없게. 그렇게 당신이 나에게로 스며들어요.

잘 지내나요, 당신. 나는 잘 지내요. 오늘 같은 때면 당신도 나로 배어들까요. 그러면 온통 물들어도 괜찮은 날이겠어요.

관망

내 사람들을 한 번씩 바라보기도 벅찬 세상 속에서
너는 물밀듯이 나에게 몰려온다
이 불가항력은 막는다고 막아지는 것이 아니다
너를 보는 순간에 당연히 그래야 했던 것처럼
거침없이 일어나버리는 것이다
나는 너를 기다린다
너를 기다리는 일은 목적성이 없다
기다림이라 함은
네가 나에게 와서 실현되어야 하는 것인데
내가 너를 기다리는 일에는 너라는 대상이 빠져있다

그래서 너를 기다리는 일은 끝없는 안개와도 같다
그저 견디는 일에 지나지 않는 것이다
너는 그냥 지나가지
굳이 내 속에 들어와 나를 이리도 어지럽게 하나
나는 누구에게도 묻지 못하고 내내 관망한다
차라리 네가 어디론가 사라져서 돌아오지 않으면 좋겠다
그러면 힘껏 울고
너 없는 어느 날에 혼자 영영 떠나보내면 될 테니

찬주

우리 도망가자

아무도 없는, 그런 캄캄한 그리움 같은 곳으로

저기 세상 끝으로 달아나고 나면

나는 다시 너를 달래야 하겠다

돌아가자

사랑 같은 거 믿음 같은 거 세상 같은 거 믿지 말고

그러면서 네 눈시울을 닦으면

너는 아무 말 않고 나와 사는 것이다

누군가 다 이해한다면서

내 울음 다 들어준다는 말에 혹하지 말고

그저 다시는 돌아오지 않을 것처럼 사는 것이다
그래서 너와 함께 어디론가 도망간다
그래야 할 것 같다

손질

분노를 요리해 보기로 했다

얇게 저며내니 슬픔이 되었다

대접할 수 없어서 스스로 삼켜냈다

탈이 나서 울었다

없는 세상

그런 사랑도 있겠다
나의 광장이 그 사람으로 한없이 들어차서
이제는 그 사람의 부재를 견딜 수 없는
그 사람의 흠집을 감싸지 못해서
나 자신이 움츠러들게 되는
그런 숨 가쁜 그리움이 어딘가 존재하겠다

낙향

바다 보러 가자
새벽 한 시에 네 전화를 받고
이 시간에 무슨 바다냐는 내 말에
너는 봐야겠다며 보채고
나는 으레 그렇듯 못 이겨버린다
그래, 가자
나는 무쇠 같은 몸을 일으켜 옷가지를 집어 든다
심야 버스를 타고
소금 내 나는 동네에 내려 모래사장으로 간다
어서 가자

느릿하게 걷는 나를 재촉하여
너는 내 손을 끌며 앞장서고
아무것도 보이지 않는
물살 소리만이 들려오는 이름 모를 곳에서
너는 바다가 운다고 말한다
바다는 새벽에 운다
새벽에 아무도 없는 때
한 치 앞도 보이지 않는 저 너머에서
울면서 아픔을 호소하는 것이다
나는 네가 지금 힘겨운 것을 알았다
너는 그 말을 하고 싶었던 것이겠다
가자
차가운 밤이다
집에 오면서
내게 기대 잠든 네 머리카락을 쓸면서
나는 미련한 너에게 서운해졌다
바다는 새벽에 울어도 너는 그럴 이유 없다
너는 네 몸 안아줄 나 하나쯤 있으니
가지 마라
밤바다 같은 네 안에서 나의 독백이 맴돈다

자상

고독이란

실로 아프지 않은 바늘과도 같아서

찔리니 피가 흐르오

보이지 않는 피요

아프지 않으니 다쳤는지 잘 알지 못하오

어느 순간

홀연히

가량없이 알게 되는 것이오

무의미

안녕. 찾아보니 편안할 안에 편안할 영이 합쳐져서 만들어진 글자다. 이곳의 편안함과 저곳의 또 다른 편안함이 모여서 아무 근심이 없는 상태를 안녕이라 한다.
그대 오늘도 안녕한가. 함께 있지 않으니 삭막하다. 그대가 어떤 하루였는지 내가 다 알지 못해서 나는 다만 안녕하냐는 물음만 전한다.
안녕이라 묻고 그대를 바라보았다. 그대의 얼굴을 들여다볼 때 편안했는지 알 수 없다. 나는 안녕이 실체 없는 말임을 알았다. 그 말은 상대의 너머를 보아야 알 수 있는 언어이다. 다가갈 수 없는 온화함을 안녕이라고 부를 것이다. 무심코

내뱉고 소리 없이 사라지는 것이 비로소 안녕일 것이다.

융해

슬픔은 수용성이라는 문장을 보았다

샤워를 하고 나면 어느 정도 씻겨 내려간다

물줄기에 녹아내리는 감상인 것이다

그 짧은 글귀가 나를 스쳐 지나갈 때

이 또한 행운이라 정의했다

시작을 알 수 없는 어떠한 말속에서

쏟아지는 궁금증을 견디는 것 또한

나의 오래된 즐거움 중 하나이므로

그저 흘려보내는 것

구태여 찾지 않는 것

그러하니 슬픔과 궁금증은 다름없어서
나의 슬픔은 옛 저녁에 사라졌다가
소리 없이 다시 찾아오던 것인가
늦은 밤에 나는 다시 중얼거린다
나쁜 습관이다

불가지론

네가 참 길다. 이토록 짧은 시간 동안 우리는 아침이 되면 만났다가 밤이 되면 헤어짐을 반복한다. 숱한 이별 속에서 너는 사라지지 않고 내 속에 잠재했다. 날이 저물면 마음이 무거워지는 이유는 단순히 너를 볼 수 없기 때문만이 아니다. 네가 없다는 사실은 저 먼 곳에서 나를 홀로 만들어 어둡게 한다. 결국 너는 나에게 하나의 현상일 것이다.
떠나는 순간 너는 그저 하나의 과거가 되어버리는 것이다. 다음날이 되어서 만나는 너는 그 전과 다르지는 않아서 내가 아는 웃음으로 나를 안아주겠으나, 끝내 어제의 너를 내가 다시 만져볼 수는 없는 것이다. 결국 나 혼자 타들다가 시간이 지나서 무참히도 아침이다.
너를 붙들고 살아가는 일은 넘치고도 까마득하다. 너 한 사람만으로도 나는 이다지도 차오른다. 그리고 너는 끝이 보이지 않는 추억으로 나를 애타게 한다. 너는 보여야만 가까운 존재이다. 그러므로 그대는 언제나 내일이 되어야 볼 수 있는 추억이겠다.
네가 참 길다. 길게만 느껴진다.

칠

어떤 이는

첫눈이나 초가을 장마에 그 사람을 떠올린다던데

나는 그런 것은 모른다

나 혼자 현관문을 드나들거나

늦은 지하철역에서 다음 열차를 기다리는 와중에

수채화 그리듯 그대는 나에게 번져오는 것이다

한때는 부르지도 않을 그대 이름을

내 마음속에 깊게 눌러써두기도 했었다

지나간 이는 덧칠할 필요 없이

고요히 여백으로 남기면 되는 것이다

만져서 덧나면 더 큰 일인 것처럼
어찌할 생각 말고 가만히 내버려 두면 되는 것이다
그러면 내 바람은
지나간 모든 사랑에 답을 주듯
잔잔히 사그라들겠다
좋은 사람은 떠나가도 남아서
밉지 않아서
문득 생각나면 한 움큼 삼키고 사는 그런 것임을

배격

잘 지내니. 여긴 조금 춥고 눈이 와.

비워냈던 그 사람에게서 다시 연락이 왔다. 그 사람. 이름은 차마 떠올릴 수 없는. 두 문장에 마음이 소란해지는 것을 보니 다 비워내지 못했나 보다.

사람을 담으면 너무나 그리울 것 같아서 사람을 비우는 작업을 한다던 사진작가를 생각했다. 그의 카메라에는 마지막으로 풍경만이 담겼다. 담아진 것을 비우는 일은 지독히도 어려워서, 처음부터 담지 않겠다는 다짐.

나는 그처럼 할 수 없어서 모두 지나고 나서야 비워낸다. 그의 사진처럼 애초에 담지 않으면 좋았으련만 원치 않아도

담겼을 테다.
비워내는 사람과 비워지는 사람 중에 누가 더 아플 것인가.
다른 도시에서 문득 내 생각이 나 연락한 네가 더 아픈가.
너의 말 몇 마디에 마음이 어지러운 내가 더 아픈가.
나는 너에게 비워지는 사람이고, 너는 나에게 비워내야 하는 사람이다. 반대도 마찬가지다. 비워내면서 비워진다. 그런 원리라면 어느 쪽이 더 심할지 알 수 없겠다. 다만 나를 비워내지 못한 너보다 덜 아프자. 너에 비해 먼저 비워내고 있는 나는 그래야 마땅하다.
나는 감기 조심하라는 짧은 답장을 보내지 않는다. 너를 남기지 않아야 춥고 눈이 오는 어느 다른 날에 네가 생각나지 않을 수 있을 텐데 여전히 나는 시큰거린다. 나는 아직 비워내고 있는 중이다.

가무리다

아무도 없는 밤이 그렇게도 헛헛하더라

그다지 먹을 게 없음에도

잿더미 같은 낭만임에도

그저 나만이 있을 수 있어서

누구 하나 찾아오지 않는

이슬비 한번 소롯이 맞을 수 있는 날이 있으면 좋겠더라

아

오늘은 비가 그친 여름의 어느 날 밤이었나

참 도망가고 싶은 밤이에요

그렇지 않나요

염

어렵지 않은 글을 쓴다
고상한 척 나조차도 써놓고
돌아서면 왜인지 알 수 없는
버려야 할 말들을 버리자
사랑은 사랑이라 적고 마는 그뿐인 것
나는 내가 이해할 수 있는 말들로
내게 왔던 모든 이별들을 아프게 아프게 훑고 지나간다
가장 지독한 문장은 가장 쉬운 문장이라는
오래된 구절을 노랫말처럼 되뇌고는
가능한 이다지도 참혹한 글을 쓴다

오지 않는 당신 같은 이가 읽었으면 하는 말을 짓는다

낱말

안녕, 이름도 기억나지 않는 그대
이제는 마침표를 찍을 수 있으리라 생각하지만서도,
지금까지 어려운 것을 보면,
그대는 내게 문장보다는 낱말에 가까운 모양이다

결핍

가을이 왔다. 올해 여름은 더웠고 방 안에 있는 날이 많았다. 가을이 와서야 나는 밖으로 나갔다. 여름은 나에게 결핍의 연속이었다. 나는 온 여름을 혼자서 지냈다.
네가 사랑한 단어들을 쓴다. 편안, 안녕, 친애. 너의 단어는 내게 없는 낱말이다. 그런 단어로 글을 쓰자니 내 메모장은 이 세상에 없는 말로 가득하다. 너의 말은 쓰면 쓸수록 힘에 부친다. 낮게 스며서 아득해지는 것이다.
너는 어떻게 사는가. 나는 읽히지 않을 글을 쓴다. 내 언어는 가난하여 미련, 사랑, 슬픔 같은 것을 적는다. 너에게 닿지 않을 것을 생각하며 네 단어와 나의 단어 사이의 거리를

느꼈다. 네가 없을 때 나의 단어는 쓰인다. 그렇게 작동된다. 나는 빈곤한 말로 모든 너를 적는다. 내 말은 너의 부재와 동어다. 너는 어떤 가을을 보내고 있는가. 마침내 그렇게 마무리할 수밖에 없다.

밤중

새벽이 아쉬워서
너의 자국을 주워다
기약 없는 며칠을 보냈다
동이 트기 전에 돌아와
다만 꿈이었노라 말하고
담담히 덮었다

생면부지

삶이 추적추적 내리면
그제야 눈물이라고 말하겠다
없으니 없는 대로 살았건만
손 한번 잡으면
뜨거운 무언가 퍽 터질 것 같아서
생각하기를 그만두었다
어쩔 수가 없다

점철

남은 생에는 웃는 사람은 만나지 말자
열두 시에 전화로 불러내어
네 시까지 취해 우는 사람이나
생판 남의 어깨를 치면서 웃는 사람이나
내용도 모르는 영화를 둘이서 보는 사람이나
늦은 밤 손잡고 잠결이었다 말하는 사람이나
이상한 사람이다, 그렇게 나를 달래고
다음 생에는 미련 없는 사람과 살자
눈물이 없는 사람과
사랑이나 우리 같은 말을 입 밖에 내지 않는 사람과

나 같은 건 깨끗이 버릴 수 있는 사람과
아무래도 좋다는 듯 젖으면서
잠들고 잊어버리자
멀리 떠나버리자

향수

부질없이 너를 기억하는 날이다. 그리 멀지 않은 시간대에 너를 보내고 나는 걸어와서 지금이다.
버리는 일은 쉬워서 너는 그리 오래 지나지 않아 나를 떠나갔다. 그럼에도 너를 가끔씩 생각한다. 네가 생각난 이유는 복합적이다. 그리움의 대상이 그때의 너인지, 나인지 알 수 없다. 그리움의 추억은 분리할 수 없다. 개별적이지 않고 함께 몰려와서 그리울 수밖에 없는 것이다.
너와의 기억은 나만이 그곳에 두고 왔다. 슬퍼지면 잠시 돌아보다 가겠다.

편지

생각나지도 않는 먼 옛날에
너는 나에게 눈물이 난다고 말했다
나는 네 잔에다 눈물 몇 방울을 떨군다
내 사람아
삶은 거저 살아낼 수도 없고
마음만으로도 살 수 없는 것이어서
살아가는 것이 다만 삶이겠다
거기에 눈물로써 사는 사람이 어찌 버틸 재간이 있으랴
집으로 돌아오는 길에 너를 생각했다
너는 들을 수 없는 그런 말을 했다

종적

나의 마음은

언제나 나의 것이 없는 이에게 투영된다

그래서 쇠말뚝 뽑듯 내게서 달아나버린

순결과

이상과

불길과

열락과

춤을 추듯 사는 이에게

그런 일 없다는 듯

고요히 주변을 거닐면서

차마 결별하지 못하고
붙잡혀 살고 만다
울먹이듯 자처한다